W9-ANG-351

SOMMAIRE

ENTRETIEN À L'OCCASION
DE L'EXPOSITION
«LE FAUVISME OU
"L'ÉPREUVE DU FEU"
ÉRUPTION DE LA MODERNITÉ
EN EUROPE»

Suzanne Pagé,
directeur du musée d'Art
moderne de la ville de Paris,
commissaire de l'exposition
.... p. 4

LES FAUVES,
LA COULEUR SAUVAGE

par Pascal Rousseau,
maître de conférences à
l'université de Tours
.... p. 6

LIEUX INSPIRÉS

Matisse à Collioure
.... p. 22

PARIS-MOSCOU,
LA NAISSANCE DES AVANT-GARDES

par Jean-Claude Marcadé,
directeur de recherche
au CNRS
.... p. 24

LIEUX INSPIRÉS

Derain à Londres
.... p. 34

DES DEUX CÔTÉS DU RHIN,
L'INVENTION DE LA MODERNITÉ

par Itzhak Goldberg,
critique d'art
.... p. 36

LIEUX INSPIRÉS

Marquet à Sainte-Adresse
.... p. 44

CHRONOLOGIE

par Pascal Rousseau
.... p. 46

Henri Matisse,
la Danse II
1909-1910, huile sur toile, 260 x 391 cm.
Musée de l'Ermitage, Saint-Pétersbourg.
© Succession Henri Matisse.

EXPOSITION

SUZANNE PAGÉ

Suzanne Pagé, directeur du musée d'Art moderne de la ville de Paris et commissaire de l'exposition «Le fauvisme ou "l'épreuve du feu" – Éruption de la modernité en Europe», nous a accordé un entretien dans l'effervescence des préparatifs de sa grande exposition consacrée au fauvisme. Elle nous en dévoile la profonde originalité et souligne la dimension européenne de ce mouvement dont l'audace et la stupéfiante modernité ne laissent pas de surprendre…

Beaux Arts magazine : Cette exposition est la première grande manifestation consacrée en France à ce mouvement depuis plus de trente ans. En quoi vous est-il apparu nécessaire d'en renouveler l'approche ?

Suzanne Pagé : D'abord il fallait essayer de cerner ce qu'est le fauvisme. Cela correspond à un moment de fulgurance très bref, qu'on croit tous connaître mais qui reste souvent assez flou. Ce n'est ni un concept, ni un mouvement, ni même une injure, mais un mot inventé, par dérision, par le critique Louis Vauxcelles, à la suite du salon d'Automne de 1905, où était exposé notamment un ensemble d'œuvres de Matisse, Derain, Vlaminck. Du reste, les artistes eux-mêmes ont récusé le terme. Dans ces conditions, ce qui nous est apparu primordial, c'était d'établir des données justes, en s'en tenant au plus près des œuvres elles-mêmes. Car, au fond, le fauvisme, c'est la poursuite d'une nouvelle expressivité qui aboutit à la création par la couleur d'un espace proprement pictural et autonome.

En quoi ces «pots de couleur jetés à la figure du public» (pour reprendre l'expression devenue célèbre du critique Camille Mauclair) ont-ils constitué une véritable petite révolution en leur temps ?

SP : Ce qui a frappé le public et la critique, c'était d'abord la violence des couleurs arbitraires perçues comme «cruelles», «criardes», la véhémence de la touche, un côté inachevé aussi et une façon très nouvelle de chambouler l'espace par la couleur pure. Tout cela perturbait totalement les canons et était un défi au bon goût et aux conventions y compris modernistes (l'impressionnisme). D'autant, qu'évidemment, cette flamboyance nouvelle de couleurs souvent «discordantes» s'affranchit de l'obligation de représenter. D'emblée, les œuvres de Matisse, Derain, Vlaminck des années 1905-1906 déroutent et scandalisent. La critique se déchaîne et fait un écho, immédiatement répercuté, en parlant de «barbarie», d'«outrance», de «puérilité»…

Pourquoi l'élargissement de la notion de fauvisme à l'Europe entière ?

SP : Paris est alors sur le plan international «le» centre de l'art contemporain, très ouvert d'ailleurs aux artistes étrangers qui viennent nombreux et fréquentent ses salons, ses ateliers, ses marchands, que ce soit Van Dongen, Kandinsky, Jawlensky, Pechstein, Münter, Kupka, Fergusson, Amiet, etc. Il y a une extraordinaire circulation de collectionneurs (Suisses, Allemands, Russes…) à cette époque. La grande figure de cette «modernité» en France comme à l'étranger (Allemagne, Russie, Scandinavie…), c'est Matisse, à cause de ses œuvres d'abord, qui régulièrement font scandale aux salons, de sa dimension théorique aussi, et de son atelier très fréquenté par les artistes internationaux. Par ailleurs, il y a des collectionneurs importants en Allemagne comme en Russie (1908). Même si d'aucuns, comme Kirchner, occultent cette influence, ou si, comme Kandinsky, souhaiteront plus tard s'en libérer, il marque l'époque. Dans les années 1905-1913, on constate, sur l'impulsion du salon d'Automne et du fauvisme, une explosion de couleurs un peu partout, qui s'accompagne d'une recherche d'expression liée à la simplification du dessin. Cela donne lieu à de grandes variantes, d'ailleurs, en Allemagne comme en Russie, en Hollande comme en Tchécoslovaquie… Ce sont ces différences que nous avons cherché à montrer en privilégiant les contacts, d'une part, les singularités, d'autre part.

Peut-on parler de fauves russes, allemands ou tchèques au même titre qu'il y eut des fauves français ?

SP : Nous nous sommes autorisés cette appellation à la suite des artistes eux-mêmes, Franz Marc et David Bourliouk dans *l'Almanach du Blaue Reiter*. Ce qui est finalement passionnant ici, c'est qu'en effet toutes ces expressions «fauves» sont spécifiques sur la base des paramètres communs que nous venons d'évoquer et auxquels s'ajoute, notamment, l'intérêt partagé pour les arts primitifs, populaires et non savants. À chaque fois, on peut noter une articulation originale à une culture locale particulière. Les réseaux d'influences sont souvent complexes et nous avons fui une logique trop simpliste de filiations. Un artiste comme Mondrian, par exemple, a sans doute été influencé par la France via l'artiste suisse Amiet autant qu'à travers son compatriote Van Dongen, alors Parisien. L'un des principaux intérêts de l'exposition a été justement d'aller sur le terrain se confronter aux faits sans *a priori*. J'ai donc visité beaucoup de réserves un peu partout en République tchèque, en Hongrie, en Russie, en Écosse, etc. Cela a impliqué aussi un vrai travail de recherche avec mes trois collègues, mené avant tout à partir des œuvres elles-mêmes et des déclarations des artistes. Nous avons essayé d'être rigoureux et y avons travaillé pratiquement pendant quatre ans. Il est vrai que nous avions déjà exploré d'autres scènes européennes à partir des expositions récentes : l'Allemagne expressionniste de Die Brücke et du Blaue Reiter, la Hollande («la Beauté exacte»), la Belgique, les pays scandinaves («Visions du Nord»). Nous avions alors constaté l'importance déterminante d'une figure comme Munch, par exemple, dans les rapports avec l'Allemagne ou la Tchécoslovaquie alors que ses fréquents séjours en France n'avaient pas eu le même impact. Ce sont précisément les écarts entre les sensibilités, les cultures, et donc les œuvres fauves elles-mêmes, que nous avons recherchés.

Comment s'articulera l'exposition ?

SP : À la fois par la chronologie, les thématiques et une sorte de géographie des influences. Le fauvisme historique est électivement développé dans les premières salles autour de Matisse, Derain, Vlaminck dans les années 1905-1907 à partir de Collioure, Londres, Chatou. Puis alternent les salles thématiques autour de Van Dongen et la figure féminine, par exemple, ou des loisirs et de la vie moderne avec Dufy et Marquet. S'entrecroisent ensuite des salles consacrées au cercle élargi des fauves en France, de Manguin et Camoin à Braque, aux scènes hongroise, tchèque, allemande, etc. Et puis on croisera Mondrian et Sluijters, Amiet et Giacometti, Fergusson, Wouters... sans parler des fauves russes, Malevitch, Machkov, Larionov... qui constituent un autre point fort du parcours.

À ce propos, quelle est, pour vous, la toile la plus belle, la plus importante de l'exposition ?

SP : Le choix n'a pas de sens d'une certaine façon, car plus que tout j'aime ici les singularités affirmées. Néanmoins, les grandes figures fauves sont Matisse et Derain, dont les paysages de Collioure sont éblouissants par leur vibration lumineuse. Choisir une œuvre ? Je m'y refuserai donc, mais l'une des plus magiques de l'exposition, dans la mesure même où elle pérennise le fauvisme, c'est *la Danse* de Matisse, tant au niveau de son élan que de son audace, avec une fougue contenue dans un espace strictement plastique. Et puis elle est symptomatique d'un moment de grande ouverture internationale puisqu'elle est aussitôt achetée par Chtchoukine et que Kandinsky demande à Matisse sa reproduction pour *l'Almanach du Blaue Reiter*. Encore une fois, ce sont les différences qui font la saveur magnifique d'un Malevitch ou d'un Gontcharova, de Münter, Nolde, Kubista ou Kupka... mais il est certain que le fauvisme tel qu'il s'est imposé en France, et à partir de la France, a quelque chose d'irréductible dans l'harmonie toujours réinventée jusqu'à la discordance de l'audace et de la sérénité, avec une séduction juvénile et un éclat exceptionnel. **PROPOS RECUEILLIS PAR BÉRÉNICE GEOFFROY-SCHNEITER**

La couleur pure sera l'alphabet de ce langage des origines.

Les fauves,
la couleur sauvage

Par Pascal Rousseau, maître de conférences à l'université de Tours

«FAUVES»… SOUS CE VOCABLE BIEN MOINS INJURIEUX QU'ON NE POURRAIT LE CROIRE SE
DEVINE LE DÉSARROI DU CRITIQUE LOUIS VAUXCELLES DEVANT CE GROUPE DE JEUNES
PEINTRES AUDACIEUX DONT LES TOILES INCANDESCENTES ALLAIENT RÉVOLUTIONNER LA
PEINTURE. SI LE FAUVISME AU SENS STRICT FUT, DE TOUS LES MOUVEMENTS ARTISTIQUES
DU XXe SIÈCLE, CELUI QUI CONNUT L'EXISTENCE LA PLUS BRÈVE, SON IMPORTANCE EST
NÉANMOINS CONSIDÉRABLE. N'A-T-IL PAS LIBÉRÉ LA COULEUR TOUT EN SE FAISANT LE
CHANTRE D'UNE CERTAINE MODERNITÉ ?

Maurice de Vlaminck,
Restaurant de la Machine à Bougival

1905, huile sur toile, 60 x 81,5 cm.
Musée d'Orsay. © RMN/ADAGP.

Maurice de Vlaminck,
Paysage au bois mort

1906, huile sur toile, 60 x 73 cm.
Fondation Fridart. © Giraudon/ADAGP.

Au terme de deux siècles qui ont vu lutter «poussinistes» et «rubinistes», partisans du dessin contre tenants de la couleur, le fauvisme est en 1905 un moment d'apogée, brûlant et virulent, «un feu de la Saint-Jean», nous dit Charles Morice, tant il clôt une époque, tant aussi la brièveté de son existence publique (quatre courtes années de 1905 à 1908) se jauge à l'aune du chahut critique qui salua son apparition dans l'enceinte du salon d'Automne de 1905. Annonçant l'avant-gardisme du XXᵉ siècle, manifeste et doctrine en moins, il constitue une étape importante de l'«autonomie expressive» de la couleur – celle conduisant, à terme, vers les premières œuvres abstraites de Kandinsky en 1912. Au commencement, donc, est un scandale soigneusement organisé (moment révélateur de l'histoire de la critique d'art et de la diffusion des «ismes»). C'est à Louis Vauxcelles que l'on doit le vocable de «fauves». Commentant la présence d'un buste très classique d'Albert Marquet au centre de la salle VII du salon d'Automne, regroupant des peintres pour la plupart issus de la «classe Moreau» des Beaux-Arts, il s'exclame, dans son compte rendu du *Gil Blas* et sous la forme d'une boutade qui fera école : «Donatello chez les fauves !» Le terme n'est ni gratuit, ni inédit. Il circule déjà dans le vocabulaire de la critique. Dès avril 1905, dans *le Mercure de France,* Charles Morice décline la métaphore du «grand fauve rare et redoutable» pour qualifier les limites du système trop rigide de la division des tons adoptés par les néo-impressionnistes. Morice reproche alors à Seurat et Signac la confusion entre l'art et la science. En octobre, cinq mois plus tard, le terme «fauve» a pris une autre teneur, plus polémique cette fois, devant les œuvres des «jeunes triomphateurs» que sont Matisse, Derain, Vlaminck…

Wassily Kandinsky,
Murnau, paysage avec arc-en-ciel

1909, huile sur carton, 32,8 x 42,8 cm.
© Städtische Galerie im Lenbachhaus,
Munich/ADAGP.

Le fauvisme clôt le XIXᵉ siècle avec zèle.
Sa palette, énergétique à l'excès, va prendre à
bras le corps tous les motifs de la vitalité.

Henri Matisse,
Portrait d'André Derain

1905, huile sur toile, 39 x 29 cm.
Tate Gallery, Londres. © Succession
Henri Matisse/Artephot/M. Plassart.

Les «jeunes barbares»

La constitution du groupe fauve au sein du salon d'Automne répond, dans les faits, à une attente. En 1905, la révolution impressionniste a déjà trente ans ; les «Refusés» de 1874 sont devenus les maîtres de la modernité, consacrés en 1904 par Camille Mauclair dans un ouvrage qui les situe dans les pas de la «grande peinture française». Renoir a reçu la Légion d'honneur, Monet fait la couverture des *Hommes du jour*. Van Gogh est très peu vu, Gauguin très peu connu. Dans cet univers dominé par un post-impressionnisme plutôt embourgeoisé, on aspire à un renouveau, comme le confirme en août 1905 le même Charles Morice dans les propos qui ouvrent son *Enquête sur les tendances actuelles des arts plastiques* : «Nous sommes, comment le contester dès lors, à la fin de "quelque chose"; c'est pourquoi on peut croire que nous sommes au commencement d'"autre chose", car il est d'autre part visible que les désirs et les forces ne manquent pas.» Sur les cendres de l'impressionnisme, les «jeunes» de l'atelier Moreau peuvent contredire le sentiment ambiant d'un épuisement des formules stylistiques. En 1905, Matisse, l'aîné du groupe, a 36 ans, Derain en a seulement 25, Camoin 26, Vlaminck 29. Ils sont les «jeunes barbares» attendus par ceux qui, à l'encontre de la génération décadentiste de 1885, se tournent vers l'action, vers des modes de pensée plus pragmatiques préparant la «revanche» des Latins contre la *Kultur* germanique. Apollinaire livre des articles dans *la Culture physique,* Vlaminck est un adepte de la «petite reine», Braque est boxeur, Dufy peint des *Gymnastes*. En 1905, le salon d'Automne, jeune de deux ans, s'est déjà imposé comme celui de la création la plus novatrice et contemporaine. Ceux de l'ancienne classe Moreau (Matisse, Marquet, Camoin...), majoritaires dans le comité de placement, vont décider de cristalliser, par le regroupement stratégique des œuvres, cette nouvelle génération.

7

André Derain,
Trois Personnages assis sur l'herbe

1906, huile sur toile, 38 x 55 cm.
MNAM, Paris. © Giraudon/ADAGP.

«Nous sommes à la fin de "quelque chose",
c'est pourquoi on peut croire que nous sommes
au commencement d'"autre chose".» Charles Morice

«L'art résume la vie»

Est-ce à dire qu'en 1905, une génération après le tumulte d'*Impression, soleil levant* (Claude Monet, 1872), la révolution est attendue ? Non. Les milieux dominants de la critique sont loin de souffler le vent de la révolte; ils reconnaissent tout au plus l'émergence d'une «jeunesse robuste qui va droit aux réalités». Dès l'automne 1904, dans un compte rendu du salon d'Automne, Élie Faure croit déceler les premiers indices d'un art neuf «plein de santé, plein de jeunesse». Il évoque à ce titre les «signes profonds du réveil de l'espèce» dans une terminologie totalement empreinte d'évolutionnisme. Face au *stuggle*

of life darwinien, évoqué par Derain dans ses échanges épistolaires avec Vlaminck, la vie doit reprendre le dessus. Que peuvent faire les peintres face à des modes de vie de plus en plus compétitifs ? Se rapprocher de la «vie intégrale», se ressourcer au contact de la nature. Des *Nourritures terrestres* de Gide au naturisme de Saint-Georges de Bouhélier, la vie devient un mot d'ordre que peintres et littérateurs se disputent pour mieux défendre le retour de la «passion» dans le réveil de l'instinct. Pour Gide, «il faut qu'on ait une vision de la vie naturelle, que l'on ait de la force, de la rage même. Le temps de la douceur et du dilettantisme est passé. C'est aujourd'hui le commencement du temps de la passion», à quoi semble répondre Vlaminck, pour qui la peinture doit être «vivante, émotive, tendre, féroce, naturelle comme la vie». Curieusement, alors que les fauves ne cessent de revendiquer ce contact plus direct avec la nature, la critique, unanimement hostile, s'ingénie à interpréter les «contorsions» de Matisse ou Derain comme le symptôme d'une peinture intellectuelle, d'une «dialectique». C'est à Maurice Denis, dans sa critique du salon d'Automne de 1905, que l'on doit en premier ce paradoxe. Denis interprète l'élision synthétique des formes de Matisse comme un effort de «généralisation» produisant des «noumènes de tableaux». Au lendemain du tintamarre créé autour de la «cage» du salon d'Automne, le terme «fauve» va, non sans paradoxe, à la fois qualifier un art de «système» et «d'instinct», avec pour point commun une tendance anarchiste à exploiter les «valeurs négatives». Il ne devient une appellation que vers 1907, en plein apogée du mouvement, alors que Matisse s'emploie déjà à revendiquer le classicisme de la «synthèse».

La vie doit reprendre le dessus. Les peintres doivent se rapprocher de la «vie intégrale», se ressourcer au contact de la nature.

8

Georges Braque,
l'Olivier près de l'Estaque

1906, huile sur toile, 50 x 61 cm.
© Musée d'Art moderne
de la ville de Paris/ADAGP.

9

Georges Braque,
Paysage à l'Estaque

1906, huile sur toile, 60 x 81 cm.
Collection particulière.
© Bridgeman Art Library/ADAGP.

L'indolence sexuelle de la peinture

Existe-t-il, au-delà des appellations de circonstance, voire des quolibets, une réalité stylistique du fauvisme ? Il est difficile d'en convenir, tant les exceptions paraissent démentir toute catégorie. Faute de vouloir fédérer un mouvement sous l'égide d'un manifeste ou même de simples déclarations de principe, les anciens de chez Moreau sont, hormis leur regroupement au sein des instances de placement du salon d'Automne, dépourvus d'une organisation qui ferait d'eux les premiers avant-gardistes à part entière. C'est, à l'évidence, l'emploi des couleurs pures qui semble les coaliser, même si leur usage antinaturaliste est loin d'être systématique, même si Marquet ou Camoin, pour ne prendre qu'eux, préfèrent le plus souvent la nuance des mélanges et des demi-teintes. Vlaminck «monte» ses carmins dans des paysages de bords de Seine érubescents, mais il conserve, le plus souvent, un ordre des teintes naturaliste. Le fauvisme est un mouvement qui

clôt le XIXᵉ siècle de Delacroix et de Turner, avec zèle, comme un morceau de bravoure «jeté à la figure du public». Sa palette, énergétique à l'excès, va prendre à bras le corps tous les motifs de la vitalité, faisant tantôt appel à des sujets populaires, tantôt à des allégories classiques. Les genres traversent alors ces frontières en toute impunité, notamment celui du nu. Les nus fauves cultivent ainsi parfois la trivialité d'une matière lourde, puissante, délibérément charnelle. Plus proches de *l'Origine du monde* de Courbet que des *Nymphes* de Cabanel, les *Nu allongé* de Camoin, Marquet, Vlaminck et Derain ont une pose sexuelle dont l'indolence active est suggérée par un pinceau très puissant qui «travaille» l'épaisseur de la chair féminine à même la peau. Dans son commentaire du salon d'Automne de 1904, Élie Faure présente Matisse comme un «amant fruste de la matière», celui que l'on reconnaît sans difficulté dans la compacité pigmentaire de *la Gitane* (ill. 10). Les portraits de Derain et Vlaminck (que l'on pense à la puissance organique du carmin dans le *Portrait de Derain* par Vlaminck) sont épris de la même enflure qui expose au regard l'incarnat de la peinture elle-même. Abandonnant la touche matiériste pour des aplats plus aériens, les fauves peignent aussi des nus idylliques, arcadiens, ceux de *l'Âge d'or* de Derain ou du *Bonheur de vivre* de Matisse, illustrant la communion intime de l'individu avec la nature, la recherche d'un bain originel dans les sensations primitives. Des motifs rappellent certaines figures de Gauguin, Cross, Signac, Ingres et Delacroix, empruntent des poses hiératiques à l'art médiéval ou hindou, révélant au passage combien l'amalgame des références à différentes cultures est lui-même une façon d'échapper à l'Histoire, au temps présent et à l'actualité sociale. Les fauves sont d'abord en quête d'origine.

10

Henri Matisse,
la Gitane

1905-1906, huile sur toile,
55 x 46 cm. Musée de
l'Annonciade, Saint-Tropez.
© Succession Henri Matisse/
Photo H. Maertens.

11

Kees Von Dongen,
la Danseuse rouge

1907-1908,
huile sur toile,
98 x 80 cm.
© Musée de l'Ermitage,
Saint-Pétersbourg/ADAGP.

La sensation sauvage

Le peintre doit revenir à la sensation première et oublier les leçons de l'académisme : l'énergie est l'antidote de «l'intellectualisme froid». Les fauves ont, avant eux, les modèles de Van Gogh, Cézanne et Gauguin, les trois grands «primitifs» de la modernité, auxquels ils empruntent tour à tour. Ils ont aussi, à partir de 1905, les enseignements de l'art égyptien ou océanien, et quelques mois plus tard, ceux des masques africains. Que trouvent-ils dans les arts primitifs ? Une expression plus condensée des moyens plastiques. À la subtilité vibratoire du pinceau post-impressionniste, ils préfèrent l'usage d'une touche plus vive, épaisse et elliptique, plus sauvage dans son organisation, plus intense dans son chromatisme. Dans de nombreux paysages de Collioure de Derain ou Matisse, de grandes réserves donnent à voir le support de la toile, libérant l'autonomie de la touche, sa

puissance matérielle. Cette quête d'authenticité conduit les fauves à se tourner vers le regard des enfants et des sauvages «pour y chercher, dans l'ignorance des formules, l'enthousiasme obscur des grands commencements» (Élie Faure). On reconnaît là le goût des avant-gardes pour la «table rase», le fantasme d'une connaissance pure des sensations, celui qui avait déjà nourri la critique de Jules Laforgue sur «l'œil vierge» des impressionnistes. Monet, puis Cézanne et Gauguin, ont ouvert une voie que les fauves veulent porter à terme, celle de la «pureté des moyens». L'enfant est celui qui porte cette langue originaire. Élie Faure, qui évoque en 1904 dans *les Arts de la vie* la puissance des modèles «archaïques», demande au peintre de retrouver «l'innocence du verbe», ce que reprend tel quel Matisse quand, en quête d'un art plus humain, il déclare qu'«il faut revenir aux principes essentiels qui ont formé le langage humain». La couleur pure sera l'alphabet de ce langage des origines. L'idée n'est pas nouvelle. On la retrouve dans de nombreux traités esthétiques de l'époque, notamment dans les textes de Jean d'Udine. À l'appui des récentes thèses développées par Élie Faure sur le mythe essentialiste du «premier artiste», il constate l'instinct naturel des enfants vers la couleur qu'il compare au «cri articulé» des dessins de l'homme préhistorique : «L'homme des cavernes, au retour de la chasse, devait raconter ses exploits à sa famille avec des bruits articulés analogues à ces dessins archaïques, expressifs et synthétiques comme eux. (...) Tout l'effort de la philologie ne tend pas à autre chose que de remonter, dans la généalogie de chaque mot, jusqu'à l'onomatopée initiale.» L'«art de la synthèse» revendiqué par Matisse n'est pas étranger à cette quête de l'unité primitive, l'onomatopée, un cri lancé contre le conventionnalisme des langages académiques.

L'art du «coup de poing dans l'œil»

Ce cri articulé est aussi celui, plus urbain mais non moins sauvage, des couleurs du monde moderne, celui des stades et des vitrines, celui des affiches bariolées qui animent les pignons de la cité. Tous ces artistes de la butte Montmartre aiment à se faire passer pour des lutteurs, cherchent à imposer une nouvelle figure de l'artiste, robuste voire brutale, à l'opposé de la vision décadentiste de la bohème fin de siècle. Le culte physique du sport favorise le goût de la matière puissante, des chocs et des contrastes chromatiques. Un sportif aime les couleurs vives, refuse le maniérisme des estompages, des nuances, préfère l'art instinctif de la tache : «La forme est une manifestation de l'intelligence, la tache une manifestation de l'instinct. Nous sommes donc pour la tache, contre la

forme résolument», rapporte un boxeur interviewé par Gabriel Mourey – ce que traduisait déjà Van Dongen dans ses *Combats de boxe* ou Dufy dans ses *Gymnastes*. On retrouve cette esthétique du «coup de poing» dans l'affiche (l'expression circule déjà dans les milieux de la publicité). L'exemple des *Affiches à Trouville,* peintes en 1906 par Dufy (ill. 15) et Marquet, est à ce titre très révélateur. S'ils choisissent de peindre non plus la mer mais une palissade d'affiches, c'est bien en intégrant les leçons visuelles du consumérisme urbain qui contamine les stations chic de la côte normande. Pourquoi l'affiche ? Parce qu'elle représente, à cette époque, le pôle d'effraction de la couleur dans la ville monochrome. C'est en effet dans les milieux de l'affichisme plus que dans les ateliers de peintre que se discute la question de l'efficacité visuelle des contrastes chromatiques. En France, notamment sous l'impulsion de Leonetto Cappiello, on commence à théoriser dans les revues de publicité ce que l'on appelle «l'art de la tache». Il s'agit de reconnaître la supériorité de la couleur sur le texte dans la capture de l'attention d'un chaland de plus en plus sollicité par la multiplication de l'affichage sauvage et des vitrines. En d'autres termes, la couleur communique plus directement, elle est le langage sténographié et universel nécessaire à cette société urbaine de la vitesse. Au-delà du chromatisme, c'est le registre populaire de l'image qui est ici en jeu. Dans son *Esthétique de la rue,* publiée en 1901, Gustave Kahn reprenait les analyses de Roger Marx pour commenter cette valeur universelle du langage populaire de l'affiche : «Comprise par tous les âges, aimée du peuple, l'affiche s'adresse à l'âme universelle. Elle est venue satisfaire des aspirations nouvelles, (…) elle est le tableau mobile éphémère que réclamait une époque éprise de vulgarisation et avide de changement.» Contre la religion de l'art pour l'art, les fauves naissent aux côtés des défenseurs de ce nouvel «art social», un art qui se rapproche du peuple par

Ce cri articulé est celui, plus urbain mais non moins sauvage, des couleurs du monde moderne, celui des stades et des vitrines.

| 16 | 17 |

Vincent Van Gogh,
le 14 Juillet à Paris

1886, huile sur toile,
47 x 39 cm.
Sammlung Villa Flora. © AKG.

Albert Marquet,
le 14 Juillet au Havre

1906, huile sur toile, 81 x 65 cm.
Don Besson, dépôt au musée
de Bagnols-sur Cèze. © Photo Daspet/ADAGP.

ses couleurs et son sujet, jusqu'à vouloir rivaliser avec l'imagerie d'Épinal, comme le commente Louis Vauxcelles devant les œuvres de Vlaminck : «M. Devlaminck *(sic)* épinalise» *(Gil Blas,* 17 octobre 1905). Le recensement des motifs forains peints par les fauves confirme cette intention. Marquet peint une *Fête foraine au Havre* (1906), Van Dongen peint un *Manège de cochons* (1904), Friesz une *Fête foraine à Rouen* (1906), Dufy un *Carnaval sur les grands boulevards* (1903), Vlaminck un *Cirque,* sans parler des nombreuses fêtes nationales dans lesquelles les fauves vont exploiter la rencontre primaire des couleurs tricolores. Après Manguin (*14 Juillet à Saint Tropez*) et Marquet (ill. 17, *le 14 Juillet au Havre,* 1906), Dufy traite le motif de la rue pavoisée à plusieurs reprises. Chez Manguin, les drapeaux flottent au milieu des voiles de bateaux; chez Marquet, ils se mêlent aux tentes des forains. Pour la critique, pas de doute, le choix de la rue pavoisée s'inscrit dans l'esprit de Monet («des instantanés pris au hasard») avec une plus grande trivialité dans l'usage de la couleur pure. Pourtant, les efforts de simplification des formes, dans le choix délibéré des gros plans sur les drapeaux, vont bien au-delà de la transcription «atmosphérique» d'un instant. Dans la *Rue pavoisée* de Dufy, se distingue au premier plan la silhouette de passants qui traversent littéralement la surface diaphane du drapeau, effet de transparence qui relie les plans du tableau entre eux, mais traduit aussi, de façon plus subtile, ce que le peintre appelle «deux impressions surajoutées dans le temps». Dufy introduit là l'idée d'une simultanéité des points de vue, une durée contraire à l'instant éphémère des impressionnistes. Il ne s'agit plus de saisir les apparences fugitives du monde mais d'en restituer une synthèse essentielle, en débarrassant le paysage de toute anecdote superficielle, de toute aspérité accidentelle. Quelque cinquante ans avant les *Flags* de Jaspers Johns, Dufy utilise le motif bidimensionnel du drapeau pour revendiquer, au sein d'une composition monumentale, le plan non illusionniste de la toile. Cette tendance annonce bien sûr les enjeux du cubisme. Dufy, mais plus encore Derain et Braque, sont en 1908 sous l'emprise volumétrique du maître d'Aix; ils rejoindront bientôt Picasso au Bateau-Lavoir. Quatre ans seulement après «l'épreuve du feu» du salon d'Automne de 1905, le fauvisme est mort de son intensité.

MATISSE

COLLIOURE

LE VILLAGE FLAMBOYANT

C'est vraisemblablement Signac qui aurait recommandé à Matisse de planter son chevalet pour quelques mois à Collioure, petit port de pêche catalan situé non loin de la frontière espagnole. «Là, racontera-t-il plus tard, travaillant devant un paysage exaltant, je ne songeais qu'à faire chanter mes couleurs, sans tenir compte de toutes les règles et les interdictions.» Mais Matisse se sent bientôt seul et écrit au jeune Derain de venir le rejoindre. En quelques jours, une solide amitié va se nouer entre les deux hommes engendrant une étroite collaboration picturale d'une rare fécondité. On songe immanquablement au «couple» Gauguin-Van Gogh et à leur singulière aventure dans «l'atelier du midi»... Nul drame, nulle compétition cependant à l'ombre des petits toits de Collioure; bien plutôt la quête commune et enfiévrée d'une couleur pure, sauvage et libérée. «Nous étions devant la nature comme des enfants – se souviendra Matisse – et laissions parler notre tempérament, quitte à peindre de chic quand on ne se servait pas de la nature elle-même. J'abîmais tout par principe et travaillais comme je sentais, rien que par la couleur.» De ces quelques semaines d'intense production naîtront d'éclatants chefs d'œuvre dont la sauvagerie de la touche et l'aspect parfois inachevé allaient dérouter le public parisien... **B.G.-S.**

Henri Matisse,
Les toits de Collioure (Vue de Collioure)

1905-1906, huile sur toile, 59,5 x 73 cm.
Musée de l'Ermitage, Saint-Pétersbourg.
© Succession Henri Matisse.

Deux peintres représentés presque nus, en slips violet et vert, comme des athlètes : la métaphore sportive est là pour dire que désormais l'art sera «musclé»…

1

Ilia Machkov,
*Autoportrait et portrait de
Piotr Kontchalovski*

1910, huile sur toile, 208 x 270 cm.
Musée national russe, Saint-Pétersbourg. ©

Paris-Moscou,
la naissance des avant-gardes

Par Jean-Claude Marcadé, directeur de recherche au CNRS

LA PREMIÈRE RÉVOLUTION RUSSE DE 1905, EN METTANT FIN À L'AUTOCRATISME IMPÉ-
RIAL MULTISÉCULAIRE, FIT SOUFFLER UN VENT DE LIBERTÉ SUR TOUTES LES MANIFES-
TATIONS DE LA VIE, ET EN PARTICULIER SUR LA CRÉATION ARTISTIQUE. LES CONTACTS
AVEC PARIS ET MUNICH, LES DEUX PÔLES DES RÉVOLUTIONS ESTHÉTIQUES DEPUIS LE DER-
NIER QUART DU XIXᵉ SIÈCLE, SE RENFORCENT ET LES MOUVEMENTS NOVATEURS QUI S'Y
CRÉENT ONT IMMÉDIATEMENT UNE RÉSONANCE À MOSCOU, SAINT-PÉTERSBOURG, RIGA,
KIEV OU ODESSA. LES EXPOSITIONS SE MULTIPLIENT QUI CONFRONTENT LES ARTISTES
D'OCCIDENT ET CEUX DE L'EMPIRE RUSSE.

2

Zlin Kubista,
Autoportrait avec pardessus

Vers 1908, huile sur toile, 92 x 66 cm.
© Statin Galerie, Zlin.

À Paris, Sonia Terk-Delaunay, Daniel Rossiné (c'est-à-dire Wladimir Baranoff-Rossiné), Marie Vassilieff, ou épisodiquement Alexandra Exter, à Munich, Marianne von Werefkin, Wassily Kandinsky, Alexej von Jawlensky, Wladimir Bekhtéïev, sont des traits d'union entre la Russie et l'Occident. Aussi ne faut-il pas s'étonner que le fauvisme ait trouvé un terrain favorable chez les jeunes peintres de l'Empire russe, en révolte de façon générale contre le naturalisme et le réalisme de l'Académie, dont le symbole était Ilia Répine. Les arts plastiques russes dans les années 1900 assimilèrent l'impressionnisme (de façon passive chez un Korovine, de façon novatrice chez un Larionov), développèrent une branche originale de l'art nouveau international (appelé ici «style moderne») et connurent une brève flambée de symbolisme. Petit à petit, des peintres comme Mikhaïl Larionov, sa compagne Natalia Gontcharova, les frères David et Wladimir Bourliouk se détachent de la base formelle impressionniste et proposent des œuvres plus rudes, plus «grossières» dans leur système figuratif, leur facture, leurs thèmes, faisant apparaître dès 1909 ce qu'ils appelleront le néo-primitivisme, qui se structure non sur le tableau «civilisé» européen mais sur les productions de l'art populaire russien, oriental, voire extrême-oriental : images gravées de large diffusion *(loubok)*, enseignes de boutiques, jouets, ustensiles de toutes sortes, porteurs de formes et de sujets inédits dans la «grande peinture». Ainsi, le goût des Slaves russiens pour les couleurs vives, bigarrées, criardes même, bien connu à travers les indiennes servant à divers usages vestimentaires ou dans les décors des objets artisanaux, se retrouve en particulier dans ceux des plateaux représentés dans plusieurs natures mortes des fauves russes (Wassily Rojdestvienski, *Nature morte*, 1909, musée des Beaux-Arts, Kazan; Ilia Machkov, *Baies sur fond de plateau rouge*, 1910-1911, Musée national russe, Saint-Pétersbourg; Alexandre Kouprine, *Nature morte avec fleurs*, vers 1912, galerie nationale Trétiakov, Moscou). C'est pourquoi dans l'exposition du musée d'Art moderne de la ville de Paris, on trouve une toile de Maliavine, peintre naturaliste, élève de Répine, qui a fait jaillir dans sa série des *Paysannes (Baby)*, vers 1905, cette exubérance de couleurs criardes à travers le tourbillonnement des jupes, transformées en une masse purement picturale de rouges. Et cela en dehors de tout fauvisme conscient.

Il faut avoir cela à l'esprit quand on regarde un tableau russe fauve entre 1909 et 1914 : certes, ses éléments figuratifs viennent droit de Cézanne (d'où leur appellation

Les Russes
s'approprient d'autant
plus facilement
le «décorativisme»
qu'il était la marque
séculaire de leur art.

«Dans l'artiste se sont enflammés les rayons des couleurs revêtues des teintes de la nature...» Kazimir Malevitch

de «cézannistes russes»), mais s'y mêlent également des traits spécifiques de l'art populaire. L'exposition qui fait triompher cette esthétique totalement nouvelle à Moscou en 1910 s'intitule «le Valet de carreau». Notons le goût qu'avaient les Russes du premier quart du XXᵉ siècle d'affubler leurs expositions d'appellations quelquefois poétiques, quelquefois programmatiques, souvent énigmatiques ou provocatrices («la Queue d'âne», 1912, «la Cible», 1913, «Tramway V» et «O, 10», 1915, ou «5 x 5 = 25», 1921). «Le Valet de carreau» s'opposait, par son nom même, aux expositions symbolistes : «la Rose écarlate» (Saratov, 1904), «la Rose bleue» et «Stephanos-la Guirlande» (Moscou, 1907). Il se voulait représentant de la jeunesse vigoureuse, de l'affirmation de soi, d'une culture corporelle incarnée et sensuelle, d'une certaine marginalité un peu louche. C'est ainsi que le tableau-enseigne de l'exposition moscovite sera la toile d'Ilia Machkov, *Autoportrait et portrait de Piotr Kontchalovski* (1910, Musée national russe, Saint-Pétersbourg, ill. 1), où les deux peintres sont représentés presque nus, en slips violet et vert, comme des athlètes : la métaphore sportive est là pour dire que désormais l'art sera «musclé», mettant fin aux anémies brumeuses symbolistes, aux afféteries du «style moderne», aux «voiles amollis» (expression du philosophe Nikolaï Berdiaev) des impressionnistes. Chez Machkov (dans ses portraits et ses natures mortes), chez Kontchalovski (dans ses tauromachies), chez Lentoulov (dans ses paysages), chez Larionov (dans ses portraits des trois frères Bourliouk, *Wladimir Bourliouk* – appelé au «Valet de carreau» *Portrait d'un athlète* –, musée des Beaux-Arts, Lyon, ill. 11; *David Bourliouk,* coll. part., ill. 10, Paris; *Nikolaï Bourliouk,* Museum Ludwig, Cologne), chez Natalia Gontcharova (dans ses *Lutteurs,* Musée national russe, Saint-Pétersbourg, et MNAM, ill. 12, ou dans ses panneaux consacrés aux Évangélistes, Musée national russe, Saint-Pétersbourg), les couleurs franches se heurtent, s'entrechoquent, dans une vraie lutte au corps à corps. Ce n'est pas un hasard si à cette époque-là culminaient la popularité et l'internationalisation de la boxe (Jack Johnson, Georges Carpentier...) ou de la lutte-catch (le célèbre Ukrainien Poddoubny, immortalisé par un film mélodramatique de Boris Barnet en 1957, fit une tournée mondiale).

Les Russes incorporèrent donc la tradition française à leur pratique «primitiviste». Gauguin, le maître, entre autres, de Natalia Gontcharova, avait fait la même synthèse

Ce qui caractérise
le fauvisme russe,
c'est «la santé»,
«la carrure», «l'énergie»
de son colorisme et
de son trait.

mais dans un cheminement inverse, qui sera celui de tous les novateurs européens du XXe siècle, qui intégrèrent les éléments puisés aux cultures archaïques (polynésiennes, ibères, africaines) à la structure de base du tableau traditionnel. C'est sur ce problème qu'il y eut, en 1911, aussitôt après la fermeture de la première exposition du «Valet de carreau», une scission entre les «occidentalistes», qui, comme Piotr Kontchalovski ou Ilia Machkov, voulaient perpétuer la peinture de type cézanniste en y incorporant des éléments primitivistes en tant qu'éléments figuratifs parmi d'autres, et les «nationalistes», qui, tels que Larionov et Nathalia Gontcharova, prenaient comme base structurelle des surfaces picturales les enseignes de boutiques, les *loubok,* les icônes, les graffitis, et le laconisme formel de l'art populaire.

Ce qui caractérise le fauvisme russe, c'est donc, bien entendu, «la santé», «la carrure», «l'énergie» (expressions de Bernard Dorival concernant les fauves français) de son colorisme et de son trait. Malevitch, dont la série éblouissante des gouaches de 1910-1912 (en particulier *le Baigneur,* Stedelijk Museum, Amsterdam) est à la fois primitiviste, cézanniste et fauve, a exécuté deux *Autoportraits* (Musée national russe, Saint-Pétersbourg, et galerie nationale Trétiatov, Moscou) que l'on ne saurait mieux

8

Wladimir Baranoff-Rossiné,
Autoportrait

1910, huile sur toile, 72 x 48 cm.
Collection Tatiana Baranoff-Rossiné.

9

Ivan Pougny,
Autoportrait

1912, huile sur toile, 84 x 67,5 cm.
MNAM, Paris. © Centre G. Pompidou

commenter que par ce passage du fondateur du suprématisme sur le «peintre en soi» : «Dans l'artiste s'embrasent les couleurs de toutes les teintes, son cerveau brûle, en lui se sont enflammés les rayons des couleurs qui s'avancent revêtues des teintes de la nature, elles se sont embrasées au contact de l'appareil intérieur. Et ce qui en lui est créateur s'est levé de toute sa stature avec toute une avalanche de teintes, afin de sortir à nouveau dans le monde réel et de créer une forme nouvelle» (*De la poésie*, 1919).

Les peintres russes de tendance fauve convergent aussi dans leur goût de l'ornementation. Matisse était passé maître dans l'utilisation des arabesques décoratives, réduites au minimalisme du trait libre et syncopé dans *la Danse et la Musique*, installée par le maître français lui-même dans le palais moscovite de l'industriel mécène Serguëi Chtchoukine en 1911. Les Russes s'approprient d'autant plus facilement ce «décorativisme» qu'il était la marque séculaire de l'art russe (en particulier, les profusions florales des peintures murales des églises – entre mille exemples, celles de la cathédrale Basile-le-Bienheureux sur la place Rouge à Moscou). Déjà, chez le visionnaire Vroubel, l'ornement faisait partie intégrante du système figuratif. Dans l'*Autoportrait* de Baranoff-Rossiné (1910, collection Tatiana Baranoff-Rossiné, Paris, ill. 8), le

10

Mikhaïl Larionov,
David Bourliouk

Vers 1910, huile sur toile,
98 x 102 cm. Collection Leclanche-Boulé. © A. Morain/ADAGP.

11

Mikhaïl Larionov,
Wladimir Bouliouk ou Portrait d'un athlète

1910, huile sur toile, 132 x 104 cm.
© Musée des Beaux-Arts, Lyon/ADAGP.

personnage se détache sur un fond aux motifs purement ornementaux, comme dans le *Portrait d'un garçon à la chemise ornée* de Machkov (1909, Musée national russe, Saint-Pétersbourg, ill. 3).

Ce qui différencie le fauvisme russe du fauvisme français, c'est la propension à la théâtralisation des sujets, voire à leur carnavalisation : outre l'*Autoportrait et portrait de Piotr Kontchalovski* de Machkov, évoqué plus haut, on peut citer le *Portrait du peintre Georges* de Kontchalovski (1910, galerie nationale Trétiakov, Moscou), dans une pose exotique à la Pierre Loti, l'*Autoportrait* de Lentoulov, déguisé en Turc, l'*Autoportrait* de Pougny (1912, MNAM, Paris, ill. 9), au poing de boxeur démesuré, le *Portrait du père de l'artiste* de Wladimir Bourliouk (vers 1910, coll. part.), avec l'accent mis sur les énormes mains rouges…

S'ils n'ont pas négligé les paysages, les fauves russes ont multiplié les portraits, et surtout les natures mortes, qui sont presque comme la marque du «Valet de carreau»

et de ses peintres, surtout Machkov, Kouprine ou Rojdestvienski. Ce qui fit écrire au peintre et critique d'art russo-ukrainien Alexeï Grichtchenko, qui lui-même avait exposé au «Valet de carreau» : «Combien aurait été choqué Cézanne s'il avait vu toutes ces bouteilles, ces poires, ces oranges, ces vases, ces nappes et ces serviettes froissées, tous ces accessoires sans âme dont pas une seule toile de cézanniste ne peut se passer» (*Apollon*, 1913, n° 6). Cela était cruellement ironique, en partie injuste, mais désignait bien une spécificité russe.

Le groupe des peintres russes de Munich, qui participent, depuis la fin du XIXe siècle, à la révolution esthétique qui a lieu avant 1914 dans la capitale bavaroise et parfois l'inspirent – Werefkin, Kandinsky, Jawlensky, Bekhtéiev – ne sauraient être classés tout de go dans l'expressionnisme allemand, comme cela se fait la plupart du temps. Tout d'abord, leurs liens avec la vie artistique de l'Empire russe restent très étroits jusqu'en 1914. Et puis, il suffit de comparer leurs œuvres à celles des peintres allemands du groupe Die Brücke (Schmidt-Rottluff, Nolde, Kirchner, Pechstein, Heckel ou Müller) pour constater qu'il n'y a pas chez les Russes de Munich d'agressivité coloriste mais une intensité et un chatoiement des couleurs (analogues à la mosaïque byzantine chez un Jawlensky) qui, pour être véhémentes, ne sont pas en quête de dissonances stridentes. Il n'y a pas, non plus, la violence instinctive des pulsions archaïques et telluriques, l'arrachement destructeur des oripeaux civilisateurs pour retrouver l'état brut et brutal des origines, mais la révélation d'un monde d'harmonie et de spiritualité, un monde symphonique où la tradition chrétienne orthodoxe s'allie au romantisme et à la *naturphilosophie* allemands, ou encore à la pensée d'un Rudolf Steiner.

Une des particularités de la peinture russe novatrice à partir de 1907 est que chaque toile est rarement ceci ou cela uniquement, mais elle est ceci et cela et encore une troisième chose à la fois… Il n'y a pas en Russie de pur impressionnisme, de pur fauvisme, de pur cubisme ou de pur futurisme. Un tableau russe synthétise souvent plusieurs cultures picturales, mais ce qui est un élément constant, venant perturber les données de la peinture européenne d'académie, c'est l'esthétique et le geste primitivistes qui donnent une saveur et une empreinte originale à la picturologie des artistes russes du premier quart du XXe siècle. C'est de cette veine que sort la création des fauves de Russie.

12

Natalia Gontcharova,
les Lutteurs

1909-1910, huile sur toile, 118,5 x 113 cm.
MNAM, Paris. © Centre G. Pompidou/ADAGP.

13

Natalia Gontcharova,
les Porteuses de raisins

1911, huile sur toile, 129 x 101 cm.
MNAM, Paris. © Centre G. Pompidou/AD

DERAIN
LONDRES
BIG BEN TRANSFIGURÉ

Fasciné par le succès remporté par les vues de
la Tamise de Claude Monet à la galerie Durand-Ruel
en 1904, Ambroise Vollard commande à Derain
une série de tableaux inspirés par la capitale
londonienne. Il s'agit, ni plus ni moins, de «contrer»
le maître de l'impressionnisme sur le même
terrain ! Trois semaines de repérage à l'automne
1905 précéderont le séjour décisif de Derain à
Londres, du 29 janvier à la mi-mars 1906.
Là où Monet avait enveloppé de brumes et de
brouillards évanescents ses vues de la ville et
de son parlement, le peintre fauve portera à
ébullition le paysage londonien. Sous son pinceau,
le ciel s'embrase et la silhouette découpée de
Big Ben prend des allures de fantasmagories
chères à Turner. Matisse n'avait-il pas conseillé à
Derain d'aller voir à la National Gallery les «rêves
illuminés» du grand maître anglais ? **B. G.-S.**

André Derain,
Big Ben, Londres

1905, huile sur toile, 79 x 98 cm.
Musée d'Art moderne, Troyes. © Giraudon/ADAGP.

1

André Derain,
la Danse

Vers 1906, huile sur toile, 185 x 228 cm.
Collection particulière. © Giraudon/ADAGP.

La quête d'un Éden intemporel ?
«La Danse» de Derain, une toile dont le vitalisme
n'est pas loin de la sauvagerie de «Nature morte
aux danseuses» de Nolde.

   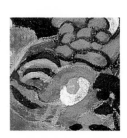

Des deux côtés du Rhin, l'invention de la modernité

Par Itzhak Goldberg, critique d'art

IL Y A DES DATES QUI COMPTENT. 1905 EST À LA FOIS L'ANNÉE DE LA FAMEUSE CAGE AUX FAUVES DU SALON D'AUTOMNE À PARIS ET DE LA FONDATION À DRESDE DU GROUPE DIE BRÜCKE, ASSIMILÉ AU DÉBUT OFFICIEL DE L'EXPRESSIONNISME. COÏNCIDENCE CHRONOLOGIQUE, QUI SUSCITE TOUJOURS, DES DEUX CÔTÉS DU RHIN, DE STÉRILES QUERELLES SUR LA PRIMAUTÉ DE CHACUNE DE CES TENDANCES ARTISTIQUES DANS L'INVENTION DE LA MODERNITÉ. UNE DISCUSSION INTERMINABLE CAR LES FAUVES COMME LES EXPRESSIONNISTES PRENNENT DES LIBERTÉS AVEC LE VISIBLE ET EMPLOIENT DES COULEURS ARBITRAIRES ET DISSONANTES. NÉGLIGER LE SENS, PARFOIS EXPLICITE, D'ŒUVRES ANCRÉES DANS DES CONTEXTES SOCIO-POLITIQUES RADICALEMENT DIFFÉRENTS ABOUTIRAIT À UNE FALSIFICATION DE LEUR NATURE PROFONDE.

2

Emil Nolde,
Nature morte aux danseuses

1913-1914, huile sur toile, 73 x 89 cm.
MNAM, Paris. © Centre Georges Pompidou/
Photo J. Faujour/ADAGP.

Le terme d'«expressionnisme» pose problème. Englobant à ses débuts l'ensemble des avant-gardes européennes (futurisme, cubisme, primitivisme et même fauvisme), il qualifie, depuis la Première Guerre mondiale, essentiellement les travaux des artistes séjournant en Allemagne. Cette définition nationale, nationaliste même, rend idéologiquement suspecte toute comparaison avec d'autres mouvements contemporains. Écartons d'emblée les *a priori* sur l'esprit germanique et ses prétendues lourdeurs ou sur la légendaire légèreté – pour ne pas dire frivolité – française. Une confrontation des travaux fauves, essentiellement entre 1900 et 1907, à ceux de Die Brücke (de 1905 à 1913) serait plus pertinente. De fait, il est évident que pour les premiers, la période de réflexion plastique commune fut brève, et les préoccupations d'un Matisse, d'un Derain ou d'un Vlaminck ont rapidement divergé. Quant aux expressionnistes, la distance qui sépare le groupe de Dresde du Blaue Reiter, dirigé à Munich par Kandinsky et Marc et dont la réflexion principale se concentre autour du spirituel et des prémices de l'abstraction, rend tout rapprochement global artificiel.

Dans ce face-à-face entre les fauves et Die Brücke, il est significatif que les deux appellations aient des origines différentes. La première, fauvisme, est imposée de l'extérieur, par un critique qui repère un style commun à plusieurs artistes exposés ensemble. L'autre, qui signifie le Pont, est choisie par quatre jeunes étudiants en architecture, autodidactes dans le domaine de la peinture et qui prennent le pari de travailler dans le même atelier. À l'opposé des fauves, ils voient dans leur union à la fois un geste artistique et une attitude d'ordre social. Dans leur manifeste, le premier du XXe siècle (1906), ils proclament non seulement leur refus de l'art et de l'enseignement académiques mais aussi celui de l'ordre bourgeois tout court. La démarche esthétique est ici intimement entrelacée à une protestation éthique. Pour ces quatre révoltés, réunis en collectif, la notion d'avant-garde retrouve indubitablement son sens militaire. Cette volonté de rejet radical s'explique dans une Allemagne wilhelmienne où pèsent dans tous les domaines l'autoritarisme et le conformisme. Contrainte par des structures rigides, souvent censurée, la vie artistique réagit par sursauts et secousses. Ainsi «tout se passe avec une tension, une violence beaucoup plus grandes que dans le Paris du cubisme naissant, rodé depuis le XVIIIe siècle à une vie culturelle d'antagonismes» (Lionel Richard). Ce n'est pas

Les déformations, les traits incisifs,
les couleurs agressives, le mouvement
saccadé forment un univers où tout
hédonisme fauve est exclu.

5

Karl Schmidt-Rottluff,
Entrée

1910, huile sur toile, 76 x 84 cm.
Collection particulière. © AKG/ADAGP.

français vivent dans un contexte nettement plus favorable. Certes, la critique ne ménage pas ses dérisions en qualifiant leurs œuvres de «pots de peinture jetés à la face du public»; il n'en reste pas moins que le scandale fauve est quelque peu amorti par une longue tradition de réactions hostiles, qui remontent à Courbet en passant par les impressionnistes. De même, les audaces fauves s'inspirent directement des recherches des générations précédentes, surtout celles des néo-impressionnistes. Ainsi, les premiers travaux de Vlaminck ou de Derain partagent la même division des couleurs et le principe des complémentaires. Cette parenté explique probablement une gamme chromatique saturée, plus lumineuse et plus éclatante que celle des expressionnistes. Par la suite, les touches, de plus en plus éloignées les unes des autres, deviennent taches ou aplats et les contrastes s'enhardissent. Plus important encore : malgré les changements stylistiques, l'iconographie fauve se rapproche de celle des impressionnistes. Les paysages où ports et bords de mer jouent un rôle privilégié restent leur thème principal. Comme chez Signac, avec lequel Matisse travaille pendant l'été 1904, ce sont les vues de Saint-Tropez qui dominent en un premier temps. Le maître fauve invente, pendant son séjour à ce qui était à cette période un simple village de pêcheurs, un paradis situé aux bords de la Méditerranée. Avec *Luxe, calme et volupté* (1904, ill. 4), le Dieu-soleil projette ses rayons aveuglants sur une plage où des femmes, réduites à des traits composés à partir de petites touches, s'intègrent dans une composition dont la valeur décorative repose sur l'ordonnance des surfaces, la maîtrise parfaite de l'arabesque, l'idée que «le sujet d'un tableau et le fond de ce tableau ont la même valeur... aucun point n'est plus important qu'un autre» (Matisse). Même quand les fauves se déplacent, un an plus tard, à Collioure, les effets recherchés ne varient guère (ill. 3 Derain, *Bateaux dans le port de Collioure*, 1905; Matisse, *Vue de Collioure*, 1905).

Non que cette peinture se réduise à la quête d'un Éden intemporel. Les paysages orageux de Vlaminck sont loin des visions apaisantes d'un Midi baigné de soleil et *la Danse* de Derain (vers 1906, ill. 1) est une toile dont le vitalisme n'est pas loin de la sauvagerie de *Nature morte aux danseuses* de Nolde (1913-1914, ill. 2). Cependant, l'importance du décoratif dans les compositions fauves laisse peu de place aux aspects sociologiques ou psychologiques. Pour ceux des fauves qui sont avant tout

un simple hasard si le mot «sécession», qui signifie le désir de rupture, est adopté par une série de groupes artistiques de langue allemande au tournant du siècle. Contrairement au fauvisme, qui se concentre dans le domaine pictural, l'expressionnisme est une conception du monde, un refus de toute solution de continuité entre l'art et la vie, et un phénomène général, qui s'étend à la littérature, au théâtre et même au cinéma. Faut-il en déduire que les fauves vivent dans un climat artistique libéral, accueillant tout changement ? Cette vision idyllique est certainement loin de la réalité même si les artistes

engagés dans une démarche formelle, le sujet est en effet surtout prétexte à des recherches picturales qui évolueront tantôt vers une organisation géométrique cubiste (la série de *Paysage de l'Estaque* de Braque), tantôt vers une semi-abstraction (Derain, *Effets de soleil sur l'eau*, 1906). Ainsi, quand Marquet ou Dufy peignent les drapeaux qui ornent Le Havre à l'occasion d'un 14 Juillet et offrent une symphonie en bleu-blanc-rouge (ill. 7 Dufy, *le 14 Juillet au Havre, rue pavoisée*, 1906), Kirchner raconte dans ses scènes de rue l'aliénation et l'anonymat d'une métropole. La différence essentielle entre l'expressionnisme et le fauvisme apparaît, mais en creux, dans une phrase de Matisse. Ce dernier déclare que l'expression d'une toile n'est pas due à la charge psychologique qui peut être contenue dans un visage, mais uniquement à l'organisation de lignes et de couleurs. Souvent répété, ce constat pictural devient la source de confusion entre l'«expression», une composante inévitable de chaque œuvre, et

l'«expressivité», sur laquelle se fonde l'expressionnisme. De fait, sans jouer toujours d'un registre pathétique ou excessif, les participants de Die Brücke, souvent à la recherche d'une émotion forte, visent non à reproduire l'impression faite par le monde extérieur mais à imposer à la représentation de ce dernier la sensibilité exacerbée qui leur est propre. Les déformations, les traits incisifs qui forment des contours anguleux interdisant toute possibilité de contact, les couleurs agressives, le mouvement saccadé, forment un univers où tout hédonisme fauve est exclu. La nature, la femme, ne sont plus la terre promise. Avec *Deux personnages dans la nature* de Heckel (1909), les corps dégagent une sensualité contenue, comme réprimée par la réduction de l'espace. Ici, Heckel ne cherche pas à désérotiser le corps, mais à mettre à nu sa sexualité explicite avec la plus grande crudité. Du rêve d'une société primitive où les corps évolueraient librement, de l'érotisme sublimé de l'arabesque matissienne, ne reste qu'un rappel de l'impossibilité de retrouver la simplicité d'un monde à jamais perdu. L'illusion nostalgique chez les fauves permet encore une activité érotique dans un cadre mythologique, où nymphes et bergers se promènent avec le même naturel qu'Adam et Ève avant la chute: Peut-être plus lucides, les expressionnistes savent que le paradis de la nudité n'est qu'une parenthèse.

Le dernier lieu démystifié est celui de l'intimité de l'artiste : son atelier. Quand, chez les fauves, le peintre se tient à une distance respectable du modèle (ill. 8 Marquet, *Matisse peignant dans l'atelier de Manguin*, 1905), chez les expressionnistes, ce rapport prend des allures d'agression. «On ne s'accordait qu'un quart d'heure par position. Il fallait donc vite enregistrer le tout et le rendre par des traits vifs. Au bout de deux heures, nous étions éreintés.» Ce témoignage de Heckel sur les séances de pose, où les membres de Die Brücke peignaient en commun, rapproche l'acte de peindre du viol, un viol traduit directement sur la toile.

Soit un tableau de Kirchner, *Fränzi à la chaise sculptée* (1910, ill. 9). La jeune fille, une adolescente, le modèle de prédilection de Kirchner et des autres membres de Die Brücke. De taille réduite, inerte, au visage-masque verdâtre, dépourvu de toute expression, elle est assise dans une position suggérant la fatigue du modèle. Située au premier plan, presque repoussée de la toile, elle semble écrasée par une chaise monumentale et inquiétante, évoquant un colosse nu, qui la surplombe. Autoportrait déguisé de l'artiste ?

8

9

Albert Marquet,
*Matisse peignant
dans l'atelier de Manguin*

1905, huile sur toile, 100 x 73 cm.
MNAM, Paris.
© Centre G. Pompidou/ADAGP.

Ernst Ludwig Kirchner,
*Fränzi à la chaise
sculptée*

1910, huile sur toile, 71 x 49,5 cm.
Fondation Thyssen-Bornemisza,
Madrid. © ADAGP.

MARQUET
SAINTE-ADRESSE
UNE PASSERELLE INCENDIÉE

À la différence de Matisse ou de Derain, Marquet et Dufy inventèrent moins la couleur qu'ils ne partirent à sa quête. Sensiblement du même âge – en 1905, le premier a 30 ans, le second 28 – , les deux hommes décident de travailler de concert sur les rivages grisés de la côte normande. L'été 1906 voit les deux amis marcher sur les traces de Monet, du Havre à Honfleur en passant par Trouville et la petite plage de Sainte-Adresse. Drapeaux multicolores, navigation de plaisance, tentes de plage, palissades couvertes d'affiches offrent alors aux jeunes peintres des teintes primaires en même temps qu'ils confèrent au sujet une nouvelle touche de modernité. Par l'usage d'une couleur puissante et syncopée que renforcent d'énergiques lignes tracées au pinceau, Marquet métamorphose alors une banale promenade de touristes endimanchés en une scène irradiante aux accents vaguement inquiétants... **B. G.-S.**

Albert Marquet,
la Passerelle à Sainte-Adresse

1905, papier marouflé sur toile, 50 x 61 cm.
© Fondation Fridart/ADAGP.

ÉVÉNEMENTS
1890 - 1908

Raoul Dufy,
l'Apéritif
1908, huile sur toile, 59 x 72,5 cm.
© Musée d'Art moderne de la ville
de Paris/ADAGP.

Othon Friesz,
le Port de La Ciotat
Vers 1907, huile sur toile, 73 x 92 cm.
Ancienne collection Brame et Lorenceau.
© Giraudon/ADAGP.

1890   Mort de Van Gogh à Auvers-sur-Oise.

1891   Matisse s'inscrit à l'académie Jullian.

1892   En décembre, première exposition des peintres néo-impressionnistes (Cross, Seurat, Signac) à l'hôtel Brébant.

1893   Dufy et Friesz s'inscrivent à l'école municipale des Beaux-Arts du Havre.

1895   Matisse, Manguin et Marquet s'inscrivent à l'atelier Moreau des Beaux-Arts de Paris. Gide publie les *Nourritures terrestres*. En décembre, premier salon de l'Art nouveau à l'hôtel Bing.

1896   Matisse est nommé membre de la société nationale des Beaux-Arts. Les premiers jeux Olympiques de l'ère moderne sont organisés à Athènes.

1897   L'État refuse une partie du legs Caillebotte. Au salon de la Nationale, Matisse suscite l'intérêt de la critique avec *la Desserte*.

1898   Mort de Gustave Moreau. Entre mai et juillet, Paul Signac publie dans *la Revue blanche, D'Eugène Delacroix au néo-impressionnisme*. Exposition Gauguin à la galerie Vollard.

1899   Exposition Cézanne à la galerie Vollard. Derain, Matisse et Puy fréquentent les cours de Carrière à l'académie Camillo, rue de Rennes, à Paris.

1900   L'Exposition universelle de Paris accueille 48 millions de visiteurs. Monet expose les *Nymphéas* chez Durand-Ruel. Van Dongen s'installe à Paris, Dufy et Friesz aussi. Lors d'un accident de train dans les environs de Chatou, en juillet, Derain et Vlaminck se rencontrent. Ils décident de partager un atelier.

André Derain,
Henri Matisse
1905, huile sur toile, 46 x 34,9 cm.
Tate Gallery, Londres. © Artephot/ADAGP.

André Derain,
Portrait de Vlaminck
Vers 1905, huile sur toile, 41,3 x 33 cm.
Dépôt privé au musée des Beaux-Arts
de Chartres. © F. Velard/ADAGP.

Raoul Dufy sur la plage du Havre
Vers 1906, photographie.
Photo DR.

1901

En mars, exposition de 65 peintures de Van Gogh à la galerie Bernheim-Jeune. Au catalogue, on retrouve des propos de Van Gogh : «L'imagination est une capacité qu'il faut développer, et elle seule peut nous faire créer une nature plus exaltante.» Derain y présente Vlaminck à Matisse. En avril, Matisse, Marquet, Manguin et Camoin exposent pour la première fois au salon des Indépendants. Au printemps, Kandinsky crée le groupe Phalanx à Munich. Derain part au service militaire pour trois ans. Camoin se lie d'amitié avec Cézanne, avec qui il entretient une correspondance. Dufy et Friesz exposent en mai à la société des Artistes français. En décembre, ouverture de la galerie Berthe Weill, qui accueillera les premières expositions des fauves.

1902

Exposition de plus d'une centaine de peintures et aquarelles de Signac à la galerie de l'Art nouveau. En août, Braque, Dufy et Friesz exposent ensemble à la société des Arts du Havre.

1903

Mort de Gauguin à Tahiti, et inauguration, en octobre, du premier salon d'Automne. Marquet *(Jardin du Luxembourg)* et Matisse *(Nature morte)* sont associés à une exposition collective de la galerie Berthe Weill.

1904

Exposition des «primitifs français» au pavillon de Marsan du Louvre. Picasso s'installe à Paris, au Bateau-Lavoir. En avril, exposition regroupant Camoin, Matisse, Manguin, Marquet, Puy à la galerie Berthe Weill. En juin, Matisse expose 46 peintures à la galerie Vollard. En juillet, Émile Bernard publie un important article sur Cézanne dans *l'Occident*. Matisse passe l'été à Saint-Tropez aux côtés de Signac et de Cross. Au salon d'Automne, Matisse présente 14 peintures dont l'une est achetée par l'État, qui collectionne aussi Marquet et Camoin.

1905

En février, Vollard achète la totalité de l'atelier de Derain et la galerie Berthe Weill présente dans une exposition collective des travaux de Dufy et Van Dongen. En mars, Kandinsky présente 22 œuvres dans l'exposition de l'association des Artistes à Moscou. En avril, au salon des Indépendants, rétrospectives Seurat et Van Gogh. Matisse expose *Luxe, calme et volupté*. Vauxcelles reconnaît en lui un «chef d'école», que l'on retrouve le même mois à la galerie Berthe Weill avec Camoin, Manguin et Marquet. Matisse et Derain passe l'été à Collioure. Par l'intermédiaire du sculpteur catalan Maillol, Matisse rencontre Daniel de Montfreid, qui lui montre des œuvres de Gauguin. En juin, création du groupe Die Brücke à Dresde (Bleyl, Heckel, Kirchner et Schmidt-Rottluff). En

Kees Van Dongen, *Au salon d'Automne,*
dessin, *l'Indiscret,* 8 novembre 1905.
Collection R. Bachollet.

*Elle — Vous n'aimez donc pas
la peinture ?*
*Lui — Si, mais très peu; il faut que
ça soit à peine perceptible :*
*rien qu'un peu de rouge aux lèvres
et un peu de noir autour des yeux.*

P. Bour, *Devant la toile fauve, la Vie
illustrée, les Hommes du jour,* 9 août 1913.
Collection R. Bachollet.

*— Je vous assure ! Papa le connaît
bien; c'est un garçon très normal.*

Collection d'art africain,
appartenant à André Derain
© M. Kellermann.

1906

1907

août, publication de l'«Enquête sur les tendances actuelles des arts plastiques» menée par Charles Morice dans *le Mercure de France.* Le 17 octobre, inauguration du salon d'Automne, qui consacre une rétrospective à Ingres et Manet. La salle VII regroupe Matisse, Manguin, Marquet, Camoin, Derain et Vlaminck, avec au milieu des peintures un buste plus classique d'Albert Marquet, qui suscite le mot du critique Louis Vauxcelles : «Donatello chez les fauves !» L'appellation «fauve» est lancée, notamment en octobre, lors de l'exposition à la galerie Weill regroupant Camoin, Derain, Dufy, Manguin, Marquet, Matisse et Vlaminck. Il faudra attendre 1912 pour que celle de «fauvisme» soit définitivement adoptée. Jawlensky (6 œuvres) et Kandinsky (12 œuvres) exposent également à ce salon d'Automne. Léo et Gertrude Stein achète la *Femme au chapeau* de Matisse, qui fait scandale au salon. La galerie Druet consacre une exposition personnelle à Kees Van Dongen.

En février, les fauves (Camoin, Manguin, Marquet, Matisse, Puy) sont invités à Bruxelles, à l'exposition de la Libre Esthétique. En mars, exposition Matisse (55 peintures) à la galerie Druet. De janvier à mars, Derain, installé à Londres à l'invitation de Vollard, découvre la sculpture «nègre» au British Museum. Au salon des Indépendants, Matisse expose *le Bonheur de vivre.* En avril, Vollard achète le contenu de l'atelier de Vlaminck. Kupka expose plus de 130 œuvres à Prague, au club Slavia. Matisse et Picasso se rencontrent chez Gertrude Stein, rue de Fleurus, à Paris. En mai, séjour de Matisse en Algérie, Kandinsky et Gabrielle Münter quittent Munich pour Paris. Première exposition du cercle de l'Art moderne au Havre. À Marseille, l'Exposition coloniale est une grande source d'inspiration exotique. Selon Gertrude Stein, Matisse achète dès 1906 dans un petit magasin de la rue de Rennes des masques africains qu'il montre à Picasso. Au cours de l'été, Braque et Friesz vont peindre à Anvers, Matisse à Collioure, Dufy et Marquet au Havre et à Sainte-Adresse. En septembre, ouverture de la première exposition Die Brücke (le Pont) à Dresde. Le 22 octobre, Cézanne meurt. Au salon d'Automne, rétrospective Gauguin et exposition d'art russe dirigée par Diaghilev. Braque et Friesz font le pèlerinage à l'Estaque. En décembre, la XIIe Sécession de Berlin réunit notamment des œuvres de Kandinsky, Kirchner, Pechstein, Van Gogh.

Kahnweiler ouvre sa galerie au 28, rue Vignon. En mars, Vlaminck expose des peintures et des céramiques à la galerie Vollard. Au même moment, il est présent sur les cimaises de la Libre Esthétique de

Portrait de Natalia Gontcharova
Photo DR.

Portrait de Mikhaïl Larionov
Photo DR.

Wladimir Bourliouk,
Portrait du père de l'artiste
Vers 1910, huile sur toile, 100 x 70 cm.
Collection privée.

1908

Bruxelles, aux côtés de Derain, Friesz. En avril, la galerie Miethke de Vienne rassemble «autour de Gauguin», des œuvres de Marquet, Matisse, Puy, Signac, Valtat. Au salon des Indépendants, Derain expose ses *Baigneuses* et Matisse, *le Nu bleu*. Le terme fauve est de plus en plus associé à un mouvement dont les membres se multiplient. On compte déjà parmi eux Metzinger, Czobel et Delaunay. En mai, une exposition à Budapest (Nemzeti Szalon) consacrée à Gauguin et Cézanne réunit des travaux de Marquet, Matisse, Puy, Van Gogh, Valtat. Durant l'été, Derain séjourne à Cassis, Braque et Friesz sont à La Ciotat, Matisse en Italie. Grande rétrospective Cézanne au salon d'Automne, Braque expose une première version du *Viaduc à l'Estaque*. Matisse et Derain découvrent probablement *les Demoiselles d'Avignon* dans l'atelier de Picasso. En octobre, la société Manès de Prague invite Marquet et Valtat. En novembre, Michel Puy publie dans *la Phalange* un important article sur les fauves. Braque commence le *Grand Nu*, qu'il achève en juin 1908. En décembre, Matisse est invité avec Kandinsky à la XIVᵉ Sécession de Berlin.

Mecislas Goldberg publie *la Morale des lignes*. Chtchoukine achète à Matisse *la Desserte rouge*. Matisse ouvre une académie de peinture dans l'ancien couvent des Oiseaux. En avril, les fauves (Braque, Derain, Friesz, Manguin, Marquet, Matisse, Puy, Valtat, Van Dongen) exposent en groupe au salon de la Toison d'or, à Moscou, aux côtés de Larionov et de Gontcharova. Au cours de l'été, Derain séjourne à Martigues, Braque et Dufy à l'Estaque. En juillet, certains fauves (Camoin, Friesz, Manguin, Marquet) sont invités à la première exposition des «Allied Artists» au Royal Albert Hall de Londres. Au salon d'Automne, les tableaux des fauves sont dispersés dans différentes salles, estompant l'effet de groupe. L'envoi de Braque est refusé par le jury mais la galerie Kahnweiler les montre un mois plus tard dans une exposition qui rassemble 27 peintures, dont *les Maisons*, devant lesquelles Louis Vauxcelles lance le mot de «cubes», qui donnera, un an plus tard, le terme «cubisme». En novembre, Matisse publie «Les notes d'un peintre» dans *la Grande Revue*, Van Dongen présente près de 90 œuvres à la galerie Bernheim-Jeune. Le 25 du même mois, s'ouvre à Berlin la XVIᵉ Sécession, où un dessin de Matisse cotoie des œuvres de Beckmann, Feininger, Heckel, Kandinsky, Kirchner, Nolde, Pechstein, Schmidt-Rottluff. En décembre, une exposition collective à la galerie Berthe Weill réunit Manguin, Marquet, Matisse, Puy et Rouault. À la galerie Notre-Dame-des-Champs de Wilhelm Udhe, Braque, Derain et Dufy se retrouvent avec Picasso et Sonia Udhe-Terk, future Sonia Delaunay.

LES HORS-SÉRIE DE BEAUX ARTS MAGAZINE

BEAUX-ARTS COLLECTION
Ensor
Chardin
Monet

ARTISTES
Honoré Daumier
Millet-Van Gogh
Warhol
Tiepolo
Delacroix
Arman
Francis Bacon
Cézanne
Corot
Hantaï
Fernand Léger
Picasso et le portrait
Prud'hon
Ryman

GRANDS THÈMES
Les Champs de la sculpture 2000
Joint Venture
Un siècle d'art à Berlin
Cosmos
De Poussin à Fragonard
Nancy Art nouveau
Amérique latine et Caraïbes 1999
Mobiliers nomades
L'Envers du décor
Théâtre des sens
Les Fatimides, trésors du Caire
Les Ibères
Nara
Angkor et dix siècles d'art khmer

Les Années romantiques
La Cité interdite
Europe symboliste
Paris-Bruxelles
Soudan
Yémen

MUSÉES/PATRIMOINE
Le musée des Années 30
Les Hospices de Beaune
Égypte (les salles du Grand Louvre)
Le Grand Louvre
Orsay
Versailles
L'Abbaye de Chaalis
Chantilly
Châteaux de la Loire
Les Invalides
Musée national d'Art moderne
Musée Carnavalet
Musée de la Corse
Musée de Grenoble
Musée Jacquemart-André
Musée de Lille
Musée Marmottan
Musée de la Mode et du Textile
Musée de la Musique
Musée Rodin
Musée de Valenciennes
Museum d'Histoire naturelle
Le Palais de l'Institut de France
Paris, capitale culturelle
La Saline royale d'Arc-et-Senans
La Grande Arche
Le Panthéon
Vaux-le-Vicomte

Vous pouvez commander ces numéros hors-série à : Collection Beaux Arts, 70, rue Compans, 75019 Paris. Tél. : 01 44 84 85 13. Fax : 01 42 00 56 92.

Maurice de Vlaminck,
le Pont de Chatou
1906, huile sur toile, 54 x 73 cm.
Musée de l'Annonciade, Saint-Tropez.
© Giraudon/ADAGP.

Les numéros hors-série *Beaux Arts magazine* sont édités par Beaux Arts SA.
Président-Directeur général :
Charles-Henri Flammarion.
Directeur de la publication :
Jean-Christophe Delpierre.
Directeur de la rédaction : Fabrice Bousteau.
Rédacteur en chef adjoint : Caroline Lesage.
Responsable de ce hors-série : Bérénice Geoffroy-Schneiter.
Iconographie : Agnès Cuchet.
Conception et rédaction graphique : Christel Lucarz et Nathalie Fonteneau.
Secrétariat de rédaction : Isabelle Gilloots et Catherine Maupu.
Création et fabrication : directeur : Alain Alliez, assisté de Marie-France Wolfsperger.
Marketing : Isabelle Canals-Noël.
Tél. : 01 56 54 12 35. Fax : 01 45 38 30 61.

Beaux Arts magazine, tour Montparnasse, 33, avenue du Maine, 75755 Paris, Cedex 15.
Tél. : 01 56 54 12 34. Fax : 01 45 38 30 01.
RCS Paris B 404 332 942.
ISSN : 0757-2271. Dépôt légal : octobre 1999.
Impression : Berger-Levrault, Toul.

Ce hors-série est réalisé à l'occasion de l'exposition «le Fauvisme ou l'Épreuve de feu», au musée d'Art moderne de la ville de Paris, du 29 octobre 1999 au 27 février 2000.

Nous remercions pour l'aide qu'ils ont apportée à la réalisation de ce numéro : Véronique Prest et Aurélie Gevrey du service de presse du musée d'Art moderne de la ville de Paris, Sophie Perrot de l'agence Giraudon, Renate Benecke de l'agence AKG, Mme Charton de la photothèque du MNAM, Clemens Koretzky et Julie Le Borgne.

Bibliographie
Catalogue de l'exposition «le Fauvisme ou l'Épreuve du feu, éruption de la modernité en Europe», préface de Suzanne Pagé, environ 496 pages, éditions Paris-Musées, avec le concours de la société des Amis.
L'ABCdaire du fauvisme, Pascal Rousseau et Claudine Grammont, coédition Paris-Musées/Flammarion, Paris, 1999.
Le Fauvisme, Sarah Whitfield, Thames & Hudson, coll. l'Univers de l'Art, Paris, 1997.
Les Fauves, Bernard Zürcher, éditions Hazan, Paris, 1995.
L'Avant-Garde russe, 1907-1927, Jean-Claude Marcadé, Flammarion, Paris, 1995.

Couverture :
André Derain,
Trois personnages assis sur l'herbe
1906, huile sur toile, 38 x 55 cm (détail).
MNAM, Paris.
© Giraudon/ADAGP.